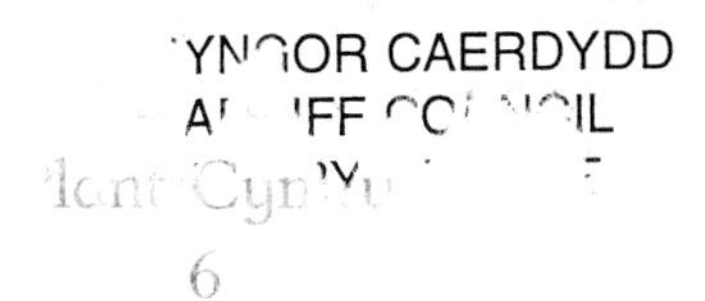

Draig Goch Cymru

Myrddin ap Dafydd

Lluniau gan Robin Lawrie

Dyna i chi faner wych ydi'r ddraig goch! Mae gan y rhan fwyaf o wledydd y byd batrymau ar eu baneri – ond llysieuyn ac anifail chwedlonol sydd ar faner Cymru. Hon yw'r faner genedlaethol hynaf yn y byd.

Lliwiau'r genhinen yw'r gwyn a gwyrdd sydd arni. Hwn yw llysieuyn cenedlaethol y Cymry ers i filwyr Cymreig wisgo cennin ar eu dillad cyn ymladd yn erbyn byddin o Saeson amser maith yn ôl. Roedd hyn yn help mawr i'r Cymry adnabod ei gilydd yng nghanol y frwydr. Y Cymry enillodd y frwydr honno, a byth ers hynny rydym yn meddwl y byd o'r genhinen. Ar un adeg, gwyn a gwyrdd oedd lliwiau lifrai byddinoedd y Cymry hefyd.

Yr anifail chwedlonol ar y faner yw'r ddraig goch, wrth gwrs, a stori'r ddraig honno sydd yn y llyfr hwn. Rhowch y ddau lun at ei gilydd a dyna i chi goch, gwyn a gwyrdd y Cymry – y faner sy'n codi calon pob un ohonom, o sêr ein byd chwaraeon i'n beirdd a'n cerddorion.

Flynyddoedd lawer yn ôl, roedd yr Hen Gymry'n byw yn yr holl diroedd a elwir yn Lloegr a De'r Alban heddiw. Doedd y Saeson ddim yn bod yr adeg honno, a Hen Gymraeg oedd yr iaith roedd pawb yn ei siarad – yr holl ffordd o Gaeredin i Lundain!

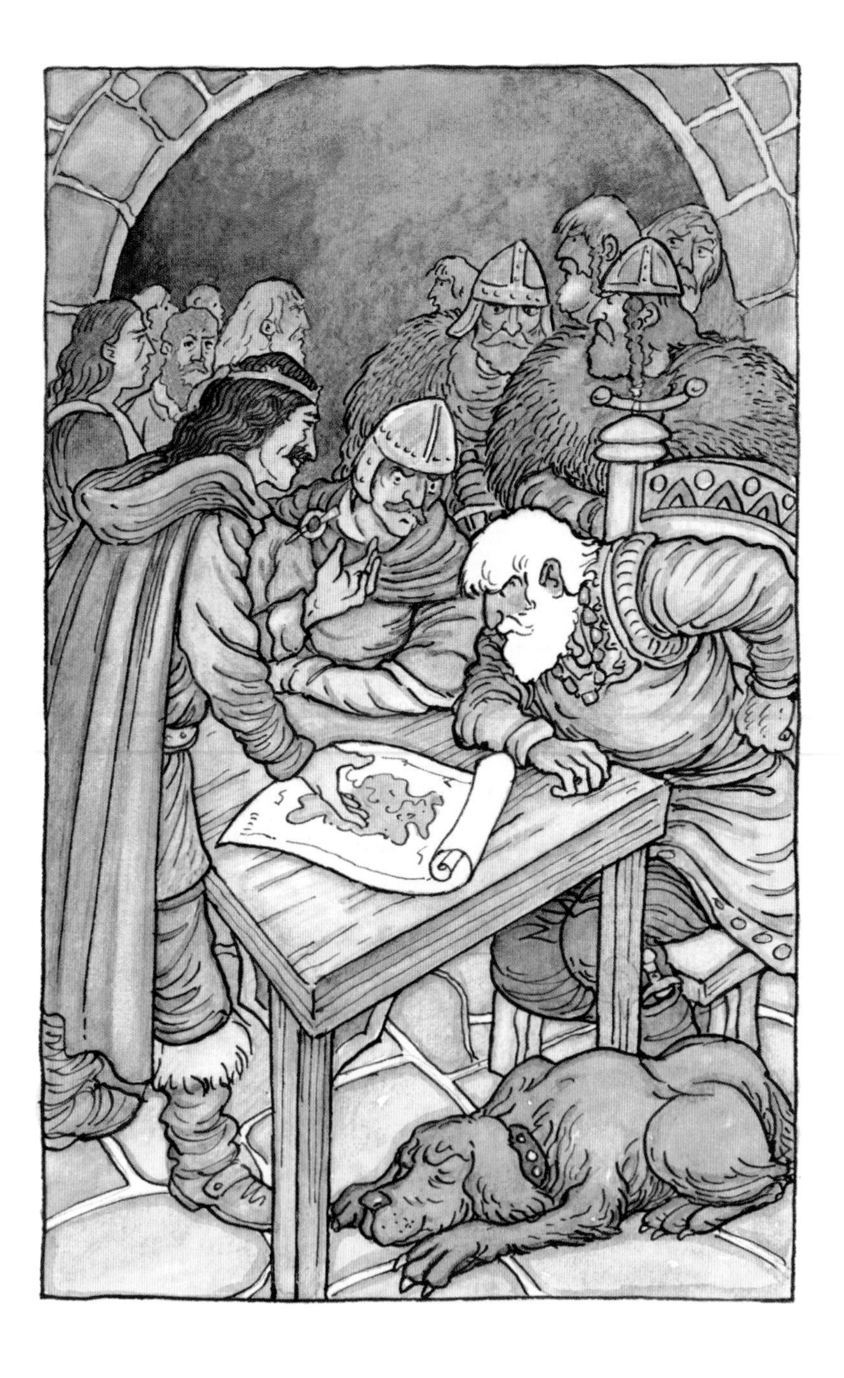

Gwrtheyrn oedd un o frenhinoedd yr Hen Gymry, ac yn ystod ei oes ef bu raid iddo ymladd yn gyson yn erbyn byddinoedd oedd yn gwneud eu gorau glas i ddwyn ei dir. Yn y diwedd, gofynnodd Gwrtheyrn i griw o filwyr gwyllt o ogledd yr Almaen ei helpu. Hors a Hengist oedd enwau eu harweinwyr, ac roedd y ddau yma mor beryglus nes eu bod wedi cael eu hel allan o'u gwlad eu hunain.

Gyda'u help nhw, llwyddodd Gwrtheyrn i ddal ei afael ar ei wlad – ond beth allai e ei wneud â Hors a Hengist a'r haid wyllt honno o filwyr wedyn? Yn y diwedd, penderfynodd roi tir corsiog gwael yn ne-ddwyrain Lloegr iddyn nhw yn dâl am eu help. Y nhw, felly, oedd y Sacsoniaid cyntaf, a Gwrtheyrn yw'r un sy'n cael y bai am fod y cyntaf i roi tir iddynt ar yr ynysoedd hyn.

Yn fuan iawn, doedd y Sacsoniaid ddim yn fodlon ar y tiroedd oedd ganddynt a dyma nhw'n dechrau llygadu rhagor o dir.

Gwahoddodd y Sacsoniaid y brenin Gwrtheyrn a thri chant o arweinwyr yr Hen Gymry i wledd yn un o'u neuaddau gwych. Aeth y Cymry yno yn eu dillad gorau, gan ddiolch am y croeso a gadael eu harfau tu allan i'r neuadd. Ar ganol y wledd, gwaeddodd un o'r Sacsoniaid, "Cydiwch yn eich

sacsys!" Y 'sacs' oedd y gyllell hir roedd pob un o haid Hengist a Hors yn ei chario. Cydiodd y Sacsoniaid yn eu cyllyll ac ymosod yn giaidd ar arweinwyr yr Hen Gymry. Lladdwyd y cyfan o'r tri chant o ddynion dewr. Byth ers hynny, mae'r Cymry'n galw'r noson honno yn noson 'Brad y Cyllyll Hirion'.

Arbedwyd bywyd Gwrtheyrn – ond dim ond oherwydd iddo gytuno i roi'r cyfan o diroedd de Lloegr i'r Sacsoniaid. Ar ben hynny, bu raid iddo adael ei gastell gwych a'r rhan fwyaf o'i gyfoeth, a ffoi am ei fywyd.

Ond i ble y gallai ddianc? Yn sicr, roedd am fynd cyn belled ag y gallai o dde Lloegr a'r haid beryglus oedd wedi setlo yno. Roedd arno eisiau teimlo'n ddiogel. Teithiodd am ddyddiau maith ac, yn y diwedd, cyrhaeddodd fynyddoedd Eryri yng ngogledd ein gwlad fach ni. Dechreuodd deimlo'n fwy cysurus wrth weld cadernid y creigiau o'i gwmpas.

Penderfynodd Gwrtheyrn y byddai'n hoffi byw yng nghanol y mynyddoedd. Gan ei fod yn frenin, roedd yn rhaid iddo godi castell iddo'i hun, wrth gwrs. Dewisodd fryn serth ger Beddgelert a galwodd ei bensaer a'i grefftwyr i ddechrau ar y gwaith adeiladu.

"Mae'n rhaid adeiladu castell cadarn," meddai wrthynt. "Ond yr un mor bwysig – mae'n rhaid ei godi'n gyflym gan nad oes gen i na fy nheulu unlle i fyw ynddo ar hyn o bryd. Rhoddaf wobr hael i bob un ohonoch os bydd y gwaith wedi'i orffen cyn y gaeaf."

Aeth y gweithwyr ati fel lladd nadroedd. Erbyn diwedd y diwrnod cyntaf yn unig, roedd y waliau wedi'u codi at uchder go dda.

Fore trannoeth, fodd bynnag, cafodd y pensaer a'r gweithwyr fraw o weld fod holl waith y diwrnod cynt wedi'i chwalu'n ufflon. Roedd cerrig y waliau wedi disgyn a rhai ohonyn nhw wedi rowlio i lawr at droed y bryn.

"Mae hyn yn rhyfedd iawn," meddai'r pensaer. "Ond does dim amser i'w wastraffu – ewch ati i ailgodi'r waliau ar unwaith."

Bu'r gweithwyr wrthi'n ddyfal yn ailgodi'r waliau drwy'r diwrnod hwnnw. Erbyn machlud haul roedd y waliau'n uwch nag oeddent y diwrnod cynt hyd yn oed.

"Da iawn," meddai'r pensaer. "Mi gawn ni i gyd orffwyso'n dawel ein meddyliau heno."

Ond y bore canlynol, roedd yr un peth wedi digwydd unwaith eto. Doedd yr un garreg ar ôl yn y waliau – roedd y cyfan wedi dymchwel.

"Bydd raid i ni godi'r waliau eto fyth," meddai'r pensaer mewn penbleth. "Ond heno mi gysgwn mewn pebyll ar y bryn i weld pa felltith sydd wrthi'n chwalu ein gwaith ni fel hyn."

Codwyd y waliau a chysgodd y gweithwyr yn eu pebyll. Cwsg aflonydd gafodd pob un ohonyn nhw. Yng nghanol y nos clywsant sŵn dychrynllyd nes bod y ddaear yn crynu oddi tanynt. Pan ddeffrodd y gweithwyr gyda'r wawr, gwelsant fod y gwaith cerrig wedi dymchwel unwaith eto.

Ar y trydydd dydd, daeth y brenin Gwrtheyrn heibio safle'r castell a chael siom fawr o weld y fath olwg ar y lle.

"Lle mae fy nghastell hardd i?" gwaeddodd. "Roeddwn i'n meddwl y buasai gennych rywbeth gwerth chweil i'w ddangos i mi erbyn hyn!"

Cyn i'r brenin gyhuddo'r gweithwyr o fod yn giwed ddiog, rhuthrodd y pensaer ato i esbonio beth yn union oedd wedi digwydd.

"Rhyfedd iawn, rhyfedd iawn yn wir," meddai Gwrtheyrn. Tybed a oedd y Sacsoniaid yn dal i'w erlid? Na, doedd bosib eu bod wedi ei ddilyn i ganol mynyddoedd Eryri. Ond pwy neu beth oedd yn achosi'r difrod?

"Rhaid galw ar y gwŷr doeth i ofyn eu cyngor," cyhoeddodd.

Bu'r gwŷr doeth yn ystyried y ffeithiau'n ofalus ac yn trafod ymysg ei gilydd drwy'r dydd.

"Wel, beth yw'r esboniad?" holodd y brenin yn ddiamynedd.

"Ym . . . ym . . . efallai bod ysbryd drwg yn byw yn y bryn ac yn amharu ar y gwaith," meddai un gŵr doeth yn betrus.

"Sut mae cael gwared arno, felly?" oedd cwestiwn nesaf Gwrtheyrn.

"Anodd iawn, O Frenin, anodd iawn. Rhaid rhoi anrheg i'r ysbryd drwg."

"Beth fyddech chi'n ei awgrymu?"

"Bachgen – bachgen a aned heb dad . . ."

"Ond mae hynny'n amhosib!" wfftiodd y brenin. "Lle mae un felly i'w gael?"

"Rhaid chwilio pob twll a chornel nes cael hyd i un," meddai'r gŵr doeth. "Yna, dod ag ef yma, ei ladd a thywallt ei waed ar hyd sylfeini'r castell. Dyna'r unig ffordd i dawelu'r ysbryd drwg a chodi'r waliau'n ddiogel."

"Gwobr!" cyhoeddodd Gwrtheyrn yn uchel. "Pwy bynnag ohonoch fydd y cyntaf i ddod o hyd i fachgen a aned heb dad, fe gaiff ei bwysau ei hun mewn aur!"

Wrth glywed cyhoeddiad y brenin, dechreuodd y gweithwyr barablu'n gyffrous ymysg ei gilydd.

Ble yn y byd y gallen nhw ddod o hyd i'r fath beth? Cychwynnodd criwiau anturus ar hyd y llwybrau diarffordd i bob cwr o'r wlad.

Gwaith diflas oedd disgwyl amdanynt i ddod yn ôl, ond ddiwedd yr haf hwnnw dechreuodd y criwiau blinedig ddod yn ôl i fynyddoedd Eryri. Roedd pob un ohonyn nhw'n benisel a digalon. Doedd neb wedi llwyddo i ddod o hyd i fachgen a aned heb dad.

Ar ddechrau'r gaeaf, ac eira'n cuddio copaon Eryri, deffrowyd pawb yng ngwersyll Gwrtheyrn un bore gan waedd un o'r gwylwyr,

"Marchog yn nesu o'r de! Marchog yn nesu o'r de!"

Cododd y criw o'u pebyll ac edrych i lawr y llwybr tua'r de. Gallent weld marchog yn dod tuag atynt. Rhwbiodd rhai ohonynt eu llygaid cyn edrych eto . . .Yna, gwelsant fod y marchog yn gafael yn dynn am ganol bachgen bach a eisteddai ar y cyfrwy.

Erbyn hyn, roedd y gwersyll yn llawn cyffro. Cyrhaeddodd y marchog o'r diwedd a chyhoeddi, "Dyma fo! Dyma fo'r bachgen a aned heb dad!"

"Wyt ti'n siŵr?" holodd Gwrtheyrn.

"Ydw, O Frenin. Pan oeddwn yn nhre Caerfyrddin clywais ddau fachgen yn ffraeo wrth

chwarae pêl ac roedd un yn gwawdio'r llall na fu ganddo dad erioed. Dyma fo!"

"Beth yw dy enw di, fy machgen i?" holodd Gwrtheyrn.

"Myrddin Emrys," atebodd y llencyn. "Ac fe wn i eich bod am fy lladd."

"Sut gwyddost ti hynny?" holodd y brenin yn syn.

"O, rwy'n gwybod llawer o bethau," atebodd y bachgen. "Ond credwch chi fi – chewch chi ddim gwared â'ch problemau drwy dywallt fy ngwaed i ar sylfeini eich castell. Pwy ddywedodd y fath beth wrthych chi?"

"Dacw nhw, fy ngwŷr doeth," meddai Gwrtheyrn.

"Ffyliaid ydyn nhw!" meddai'r bachgen.

Wrth glywed y bachgen yn eu galw'n ffyliaid, teimlodd y gwŷr doeth ei bod yn hen bryd cau ei geg. Daeth un ohonyn nhw ymlaen at Gwrtheyrn.

"Y peth gorau i chi ei wneud fyddai ei ladd ar unwaith," meddai, "ac yna gallwch ddechrau eto ar y gwaith o godi eich castell. Does dim amser i'w golli. Rhaid tawelu'r ysbryd drwg."

"Hy! Does dim ysbryd drwg!" gwaeddodd y bachgen. "Dyfalu maen nhw. Dydyn nhw'n gwybod dim byd. Ond mi wn i."

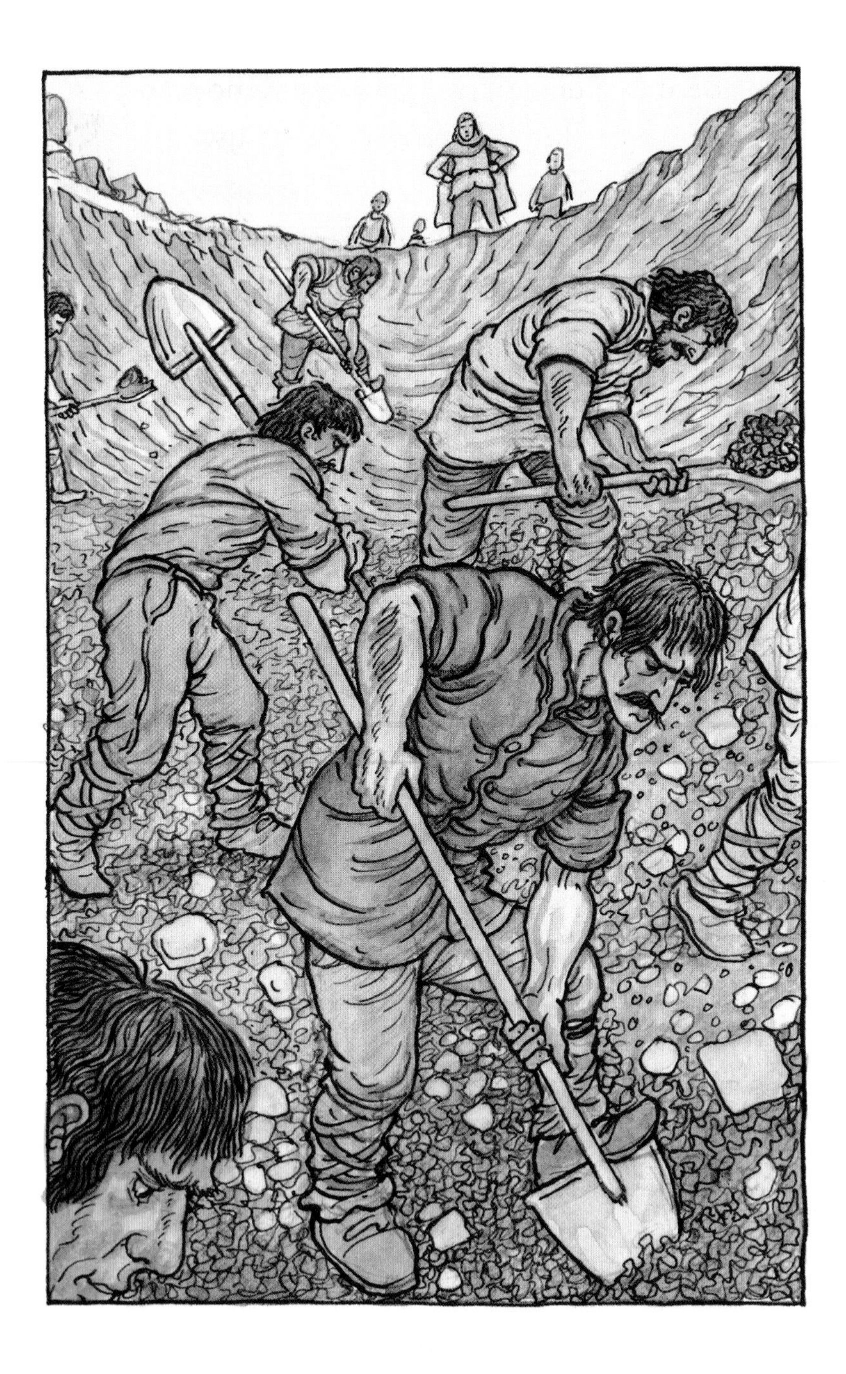

"Beth wyddost ti, fachgen?" gofynnodd Gwrtheyrn yn daer. "Wyddost ti beth yw cyfrinach y waliau cerrig?"

"Gwn," atebodd Myrddin Emrys. "Ym mherfedd y bryn acw mae ogof, ac yn yr ogof mae llyn. Yn y llyn mae dwy ddraig – draig goch a draig wen. Bob nos mae brwydr rhwng y ddwy ddraig – brwydr ffyrnig sy'n peri i'r ddaear grynu. Wrth i'r ddaear grynu, mae waliau eich castell yn cwympo cyn y bore, bob tro."

"Twt lol! Stori dylwyth teg!" meddai'r gŵr doeth.

"Tyllwch i mewn i ochr y bryn," heriodd Myrddin Emrys. "Fyddwch chi fawr o dro cyn dod ar draws yr ogof."

"Frenin, mae'n rhaid lladd y llanc yma ar unwaith . . ." dechreuodd y gŵr doeth.

"Na!" gwaeddodd Gwrtheyrn. "Rwy'n fodlon rhoi cyfle iddo. Weithwyr! Ewch ati i dyllu i mewn i ochr y bryn."

Yn ddistaw bach, roedd y brenin yn dechrau dod yn hoff iawn o'r bachgen. Roedd hi'n amlwg ei fod yn ddewr ac yn gwbl ddi-ofn. Ac roedd o wedi mentro galw'r gwŷr doeth yn ffyliaid! Wel, dyna i chi fentrus! Eto, doedd yr un o'r gwŷr doeth wedi gallu ei droi'n ystlum neu'n ful am eu

gwawdio, ac roedd Gwrtheyrn yn dechrau meddwl fod y bachgen efallai'n gwybod mwy na nhw wedi'r cyfan.

Dringodd byddin o weithwyr i fyny ochr y bryn gan gario rhawiau, ceibiau a throsolion gyda nhw. A dyna ddechrau tyllu. A thyllu. A thyllu.

Gyda phob rhawiad o bridd a godwyd o'r twll ar y llechwedd, dechreuai'r gwŷr doeth sgwario'u hysgwyddau a lledu eu gwên. Wel? Ble'r oedd yr ogof a'r llyn a'r dreigiau? Doedd dim sôn amdanyn nhw.

Yna, "Twll!" gwaeddodd un o'r gweithwyr.

"Mae'n fwy na thwll! Ceg ogof ydi o!" gwaeddodd un arall.

Yn raddol, agorwyd ceg yr ogof nes ei bod yn ddigon mawr i ddyn fynd trwyddi. Cyneuwyd ffaglau a dechreuodd y fintai fynd i mewn iddi.

"Dyma'r llyn y soniodd y bachgen amdano," sibrydodd un o weithwyr Gwrtheyrn.

"Beth ydi'r sŵn chwyrnu yna?" gofynnodd rhywun arall, gan deimlo braidd yn ofnus.

Yn adlewyrchiad y fflamau ar ddŵr y llyn, gallai Gwrtheyrn a'i ddilynwyr weld ffurf draig fawr wen yn cysgu ar silff o graig yn un pen i'r llyn. Ar silff debyg ym mhen arall y llyn, roedd draig fawr goch yn cysgu.

"Dewch," sibrydodd y brenin. "Mae'n rhy beryglus yma. Gofalwch beidio gwneud smic o sŵn rhag i chi ddeffro'r dreigiau yma."

Yn ofalus, sleifiodd pob un ohonynt yn ôl allan drwy geg yr ogof.

"Gwell i ni gau'r twll ar ein holau a gadael llonydd i'r dreigiau yna ymladd eu brwydr breifat," awgrymodd Gwrtheyrn.

"Ddim o gwbwl!"

Trodd pob un i edrych ar y bachgen unwaith eto.

"Myrddin Emrys, oes gen ti gyngor arall i mi?" gofynnodd y brenin.

"Gwnewch y twll yn fwy," meddai'r bachgen, "yn ddigon mawr i ddraig fedru hedfan drwyddo. Yna, rhaid aros am y nos."

Erbyn hyn, doedd neb yn amau gair y bachgen. Ciliodd y gwŷr doeth i gysgodion y coed ac ni welodd neb yr un ohonyn nhw ar ôl hynny. Agorwyd y twll a disgwyliodd pawb yn y gwersyll iddi dywyllu.

"Ond beth yw'r esboniad am hyn i gyd?" gofynnodd Gwrtheyrn wrth y bachgen doeth.

"Mae'r creaduriaid yn yr ogof yn fwy na dim ond dwy ddraig," meddai Myrddin Emrys. "Mae'r ddraig goch yn cynrychioli'r Hen Gymry sydd

wedi byw ar y tiroedd hyn ers cannoedd ar gannoedd o flynyddoedd. Rydyn ni'n bobl wâr gyda'n diwylliant a'n crefydd ein hunain. Mae'r ddraig wen, ar y llaw arall, yn cynrychioli'r bobol wyllt a chreulon a di-dduw sy'n ceisio dwyn y tiroedd hyn oddi arnon ni."

"Hors a Hengist a'i griw!" sibrydodd un o filwyr Gwrtheyrn.

"Ie, y Sacsoniaid. Gwŷr y cyllyll hirion," meddai Myrddin. "Bydd y ddwy ddraig yn brwydro yn y llyn hwn nes bydd un wedi trechu'r llall. Ar ôl i un ddraig ildio, cewch chithau lonydd i godi'ch castell yma."

Ar hynny, clywodd y fintai sŵn rhuo dychrynllyd yn dod o berfedd yr ogof. Roedd y dreigiau wedi deffro ac am waed ei gilydd. Cyn hir, roedd y llethrau'n crynu ac roedd hi'n amlwg fod brwydr waedlyd yn digwydd yn y llyn tanddaearol.

Roedd sgrechiadau'r dreigiau ac ambell gwmwl o fwg yn codi o geg yr ogof. Bu'r ddaear yn crynu am y rhan fwyaf o'r nos wrth i'r dreigiau hyrddio'i gilydd yn erbyn y creigiau tanddaearol.

Yna, ychydig cyn y wawr, clywyd sŵn un o'r dreigiau'n nesu at y fynedfa ar ochr y bryn. Gydag un sgrech hir, ehedodd draig wen glwyfus allan o'r

ogof a chodi ar ei haden dros gribau'r mynyddoedd. Hedfanodd tua'r wawr, i gyfeiriad tiroedd y dwyrain.

"Ddaw hi byth yn ôl i fynyddoedd Eryri," meddai Myrddin Emrys. "Y ddraig goch piau'r tir hwn am byth!"

Roedd y brenin mor falch nes iddo gyhoeddi ei fod yn rhoi'r safle yn anrheg i'r bachgen. "Cei godi dy gastell dy hun yma," meddai.

Ac felly y bu. Enw'r gaer a godwyd yno oedd 'Dinas Emrys'. Dyna yw ei henw o hyd.

Aeth y brenin Gwrtheyrn i chwilio am lecyn arall, diogel i godi ei gastell arno. Wedi chwilio a chwilio, daeth o hyd i gwm unig ar benrhyn Llŷn. A wyddoch chi beth yw enw'r llecyn hwnnw? Wel Nant Gwrtheyrn, wrth gwrs!

A hyd heddiw, y ddraig goch yw arfbais y Cymry – i gofio am y ddraig honno a ddaliodd dir Cymru'n ddiogel yn erbyn ymosodiadau'r ddraig wen.

Straeon Plant Cymru 1

Straeon y Tylwyth Teg

Mae llawer o straeon am y 'bobl fach' yng Nghymru – dyma bedair ohonynt.

Straeon Plant Cymru 2

Ogof y Brenin Arthur

Bugail yn cael y braw rhyfeddaf wrth ddod ar draws llond ogof o drysorau a milwyr yn cysgu . . .

Straeon Plant Cymru 3

Gelert, y Ci Ffyddlon

Un o ffefrynnau plant Cymru – stori am gi Llywelyn, y babi yn y crud a'r blaidd . . .